30 plats uniques

MARABOUT

Sommaire

Légumes rôtis en salade

Pour 4 personnes

60 ml d'huile d'olive
1 gousse d'ail pilée
2 courgettes
4 gros champignons de Paris
coupés en quatre
4 tomates olivettes coupées en quatre
1 oignon rouge coupé en quartiers fins
150 g de mâche nettoyée

Assaisonnement
60 ml d'huile d'olive
2 c. s. de vinaigre balsamique
1/2 c. c. de sucre en poudre
1/2 c. c. de moutarde forte
1 gousse d'ail pilée

1 Préchauffez le four à 220 °C. Mélangez l'huile et l'ail dans un récipient.

2 Coupez les courgettes en deux dans la longueur puis détaillez chaque moitié en tranches.

3 Disposez les légumes en une seule couche dans un grand plat et versez dessus le mélange huile-ail. Remuez avant de faire rôtir 20 minutes au four ; les légumes doivent dorer légèrement et être juste tendres. Sortez-les du four et laissez-le refroidir à température ambiante.

4 Mélangez les légumes et la mâche dans un saladier, versez l'assaisonnement, remuez et servez sans attendre.

Assaisonnement Mélangez tous les ingrédients dans un bocal, fermez le couvercle et agitez vigoureusement.

Par portion lipides 28,2 g ; 316 kcal

Soupe vietnamienne aux crevettes

Pour 6 personnes

12 crevettes moyennes crues
1 morceau de gingembre (4 cm) émincé
1 c. c. de poivre noir en grains
2 gousses d'ail pilées
2 petits piments rouges frais épépinés et émincés
1 tige de citronnelle (le blanc seulement) émincée très finement
3 litres d'eau
400 g de nouilles de riz fraîches (épiceries asiatiques)
60 ml de jus de citron
80 ml de nuoc-mâm
2 oignons verts émincés
quelques feuilles de coriandre
quelques feuilles de menthe

1 Décortiquez les crevettes en gardant les queues. Mettez les carapaces dans une casserole avec le gingembre, le poivre, l'ail, la moitié du piment, la citronnelle et l'eau. Faites chauffer à feu moyen puis baissez le feu dès les premiers bouillons et laissez frémir 20 minutes sans couvrir. Filtrez le bouillon dans un tamis fin (jetez les éléments solides) et remettez-le dans la casserole.

2 Ajoutez les crevettes dans la casserole et faites-les cuire 2 à 3 minutes à feu moyen (elles doivent changer de couleur). Faites tremper les nouilles quelques minutes dans de l'eau bouillante pour les assouplir puis égouttez-les.

3 Versez le jus de citron dans la casserole avant d'ajouter en plusieurs fois le nuoc-mâm ; cette sauce étant très salée, goûtez régulièrement le bouillon avant d'en rajouter.

4 Répartissez les nouilles et les crevettes dans des bols à soupe. Versez le bouillon et décorez d'oignon vert et de feuilles de coriandre et de menthe.

Par portion lipides 1 g ; 180 kcal

Nouilles sautées au porc et au poulet

Pour 4 personnes

55 g de sucre en poudre
80 ml de sauce au piment douce
60 ml de nuoc-mâm
1 c. s. de sauce de soja claire
1 c. s. de sauce tomate
500 g de blancs de poulet émincés
150 g de nouilles de riz fraîches
1 c. s. d'huile de sésame
500 g de filet mignon de porc émincé
1 bel oignon brun en tranches fines
2 gousses d'ail pilées
160 g de germes de soja frais
quelques feuilles de coriandre ciselées
50 g de cacahuètes grillées
grossièrement concassées

1 Mélangez dans un récipient le sucre, la sauce au piment, le nuoc-mâm, la sauce de soja et la sauce tomate. Ajoutez le poulet et remuez. Laissez mariner au moins 30 minutes au réfrigérateur.

2 Mettez les nouilles dans une passoire et rincez-les abondamment à l'eau chaude. Séparez-les à la fourchette puis égouttez-les bien.

3 Sortez le poulet de la marinade ; réservez cette dernière. Faites chauffer la moitié de l'huile dans un wok et faites-y revenir le poulet en plusieurs fois. Réservez-le au chaud entre deux assiettes.

4 Faites chauffer le reste d'huile dans le wok pour y faire dorer le porc avec l'oignon et l'ail. Quand le mélange est presque cuit, remettez le poulet dans le wok avec la marinade réservée. Portez à ébullition puis retirez aussitôt du feu. Ajoutez enfin les nouilles. Mélangez délicatement puis répartissez le tout dans des assiettes creuses ou des bols. Garnissez de germes de soja, de feuilles de coriandre et de cacahuètes ; servez sans attendre.

Par portion lipides 27,2 g ; 648 kcal

Penne puttanesca

500 g de penne
80 ml d'huile d'olive
3 gousses d'ail pilées
1 petit piment rouge séché
et pilé grossièrement
5 tomates bien mûres pelées
et hachées grossièrement
200 g d'olives noires
8 filets d'anchois en saumure égouttés
et hachés finement
65 g de câpres égouttées et rincées
quelques tiges de persil ciselées
quelques feuilles de basilic ciselées

1 Mettez les pâtes à cuire dans un grand volume d'eau bouillante salée.

2 Pendant ce temps, faites chauffer l'huile dans une grande poêle pour y faire revenir l'ail puis le piment et les tomates pendant 5 minutes. Ajoutez enfin les olives, les anchois et les câpres ; laissez cuire encore 5 minutes.

3 Quand les pâtes sont *al dente*, égouttez-les bien et mettez-les dans un plat de service. Versez la sauce dessus et mélangez. Parsemez de persil et de basilic et servez sans attendre.

Par portion lipides 21,2 g ; 674 kcal

Porc sauté à la citronnelle

Pour 4 personnes

1 c. s. d'huile d'arachide
2 c. s. de blanc de citronnelle finement haché
2 petits piments rouges frais épépinés et émincés
1 morceau de galanga (2 cm) ou de gingembre émincé
2 gousses d'ail pilées
500 g de porc haché grossièrement
1 c. s. de pâte de curry rouge
100 g de haricots verts coupés en petits tronçons
4 c. c. de nuoc-mâm
2 c. s. de jus de citron vert
1 c. s. de sucre de palme râpé ou de sucre roux
1 oignon rouge émincé très finement
2 oignons verts émincés très finement
quelques feuilles de basilic
quelques feuilles de coriandre
75 g de cacahuètes grillées et grossièrement concassées
4 belles feuilles de laitue iceberg

1 Faites chauffer l'huile dans un wok et faites-y revenir la citronnelle, les piments, le galangal et l'ail. Quand le mélange embaume, ajoutez le porc et laissez-le dorer quelques minutes avant d'incorporer la pâte de curry. Remuez sur le feu jusqu'à ce qu'elle embaume.

2 Ajoutez dans le wok les haricots verts, le nuoc-mâm, le jus de citron et le sucre. Laissez cuire encore 5 minutes.

3 Hors du feu, ajoutez les oignons, le basilic, la coriandre et les cacahuètes. Mélangez et servez sans attendre dans les feuilles de laitue.

Par portion lipides 25,2 g ; 391 kcal

Salade méditerranéenne au poulet

Pour 4 personnes

375 g de pâtes courtes
(orecchiette, fusilli, farfalle)
1 petit bouquet d'origan frais ciselé
125 ml d'huile d'olive
60 ml de jus de citron
480 g de blancs de poulet rôtis
1 oignon rouge émincé
500 g de tomates cerises
coupées en quatre
2 mini-concombres coupés en dés
1 poivron rouge épépiné et coupé en dés
120 g d'olives noires dénoyautées
280 g de cœurs d'artichauts marinés
200 g de feta coupée en cubes

1 Faites cuire les pâtes dans un grand volume d'eau bouillante salée puis égouttez-les. Rincez-les à l'eau froide et égouttez-les à nouveau.

2 Mélangez dans un bol 2 cuillerées à soupe d'origan, l'huile et le jus de citron.

3 Mettez dans un saladier les pâtes refroidies, les blancs de poulet coupés en dés, l'oignon, les tomates, les concombres, le poivron, les olives, les cœurs d'artichauts (égouttés et coupés en huit) et la feta. Versez la sauce et mélangez. Parsemez la salade avec le reste d'origan.

Par portion lipides 52,4 g ; 1009 kcal

Bœuf braisé aux piments

Pour 4 personnes

2 c. s. d'huile d'olive
1 kg de bœuf à braiser (paleron ou macreuse) coupé en morceaux
1 oignon brun émincé
2 gousses d'ail émincées
2 c. c. de cumin en poudre
2 piments verts longs épépinés et émincés
500 ml de bouillon de bœuf
1 c. s. de concentré de tomate
3 tomates olivettes pelées et grossièrement hachées
500 g de petites pommes de terre nouvelles coupées en deux
quelques feuilles de coriandre ciselées

1 Préchauffez le four à 180 °C. Faites chauffer la moitié de l'huile dans une cocotte et faites-y dorer les morceaux de bœuf sur toutes les faces ; procédez en plusieurs fois si nécessaire.

2 Retirez la viande de la cocotte et réservez-la au chaud. Versez le reste d'huile dans la cocotte pour y faire revenir à feu vif l'oignon, l'ail, le cumin et les piments. Quand l'oignon est tendre, ajoutez le concentré de tomate, remuez bien puis délayez le mélange avec le bouillon en versant ce dernier progressivement. Remettez les morceaux de bœuf dans la cocotte, couvrez et faites cuire 45 minutes au four.

3 Ajoutez les tomates et les pommes de terre dans la cocotte, couvrez et laissez cuire encore 35 minutes. Terminez la cuisson à découvert pendant 20 minutes. Parsemez le bœuf braisé de coriandre au moment de servir.

PRATIQUE Vous pouvez supprimer les pommes de terre et servir ce bœuf avec du riz vapeur ou des pâtes fraîches.

Par portion lipides 24,7 g ; 655 kcal

Salade au crabe

Pour 4 personnes

500 g de chair de crabe fraîche
250 g de chou chinois
coupé en fines lanières
1 mini-concombre épépiné
et coupé en fines tranches
1 oignon rouge coupé en deux
puis émincé
6 oignons verts
coupés en tronçons de 4 cm
quelques feuilles de menthe

Assaisonnement
2 gousses d'ail pilées
2 c. s. de jus de citron vert
2 c. s. de nuoc-mâm
1 c. s. de sucre roux
2 petits piments rouges frais épépinés
et hachés finement

Émiettez la chair de crabe à la main et mettez-la dans un saladier. Ajoutez le reste des ingrédients puis versez la sauce et mélangez. Réservez au frais jusqu'au moment de servir.

Assaisonnement Mélangez tous les ingrédients au fouet dans un petit bol. Prenez soin de bien mélanger pour que tout le sucre soit dissous.

Par portion lipides 1 g ; 126 kcal

Pâtes au jambon et aux petits pois

Pour 4 personnes

500 g de pâtes courtes
(penne, rigatoni, fusilli…)
1 c. s. d'huile d'olive
200 g de jambon blanc émincé
1 oignon brun finement haché
1 gousse d'ail pilée
300 ml de crème fraîche
125 g de petits pois surgelés
60 g de parmesan en copeaux

1 Faites cuire les pâtes dans un grand volume d'eau bouillante salée. Égouttez-les en réservant 60 ml d'eau de cuisson puis remettez-les dans la casserole et couvrez-les pour les garder bien chaudes.

2 Pendant que les pâtes cuisent, faites chauffer l'huile dans une sauteuse pour y faire revenir le jambon à feu vif : il doit être croustillant. Retirez-le de la sauteuse et faites revenir à la place l'ail et l'oignon quelques minutes.

3 Ajoutez dans la sauteuse la crème, les petits pois et l'eau de cuisson des pâtes réservée. Portez à ébullition. Baissez le feu et laissez frémir quelques minutes : les petits pois doivent être tendres.

4 Versez alors cette sauce sur les pâtes, ajoutez le jambon et la moitié du parmesan puis mélangez. Répartissez les pâtes dans des assiettes chaudes et présentez dans un petit bol le reste du parmesan.

Par portion lipides 41,5 g ; 885 kcal

Salade de nouilles aux choux

Pour 4 personnes

300 g de nouilles frites
(épiceries asiatiques)
250 g de chou blanc
émincé très finement
250 g de chou rouge
émincé très finement
8 oignons verts émincés
quelques tiges de persil ciselées
2 c. s. de graines de sésame grillées

Assaisonnement
1 c. s. d'huile de sésame
1 c. s. d'huile d'arachide
2 c. s. de vinaigre blanc
2 c. s. de sauce de soja claire
125 ml de sauce au piment douce

1 Mélangez dans un saladier les nouilles, les deux sortes de chou, les oignons verts, le persil et les graines de sésame.

2 Versez la sauce et mélangez. Servez aussitôt pour éviter que les nouilles ne soient détrempées.

Assaisonnement Mélangez tous les ingrédients dans un récipient.

PRATIQUE Si vous n'avez pas pu trouver de nouilles frites, achetez des vermicelles de riz et faites-les frire rapidement dans de l'huile très chaude. Attention, ils gonflent instantanément ; surveillez attentivement leur cuisson.

Par portion lipides 22,8 g ; 350 kcal

Couscous de légumes

Pour 4 personnes

350 g de kumara
(patate douce à chair orangée)
1 c. s. d'huile d'olive
60 g de beurre
4 mini-aubergines
coupées en petits morceaux
1 oignon brun finement haché
1 pincée de piment de Cayenne
2 c. c. de cumin en poudre
2 c. c. de coriandre moulue
375 ml de bouillon de légumes
400 g de couscous
2 c. c. de zeste de citron râpé
500 ml d'eau bouillante
400 g de pois chiches en boîte rincés
et égouttés
2 c. s. de jus de citron
100 g de pousses d'épinards
quelques feuilles de persil plat

1 Pelez la patate douce puis coupez-la en petits cubes de 1 cm. Faites chauffer l'huile et la moitié du beurre dans une sauteuse et faites-y dorer la patate douce, les aubergines et l'oignon. Ajoutez les épices et laissez cuire 2 minutes avant de verser le bouillon. Portez à ébullition puis laissez frémir 15 minutes : les légumes doivent être juste tendres.

2 Mélangez dans un récipient le couscous, le zeste de citron, la moitié du beurre restant et l'eau bouillante. Remuez rapidement puis laissez gonfler 5 minutes à couvert : tout le liquide doit être absorbé. Aérez la graine à la fourchette.

3 Ajoutez les pois chiches et le reste du beurre dans la sauteuse. Mélangez bien et laissez sur le feu jusqu'à ce que le beurre soit fondu. Mélangez alors dans un plat de service les légumes, le couscous, le jus de citron, les pousses d'épinards et le persil. Servez sans attendre.

Par portion lipides 20,1 g ; 777 kcal

Agneau sauté aux nouilles chinoises

Pour 4 personnes

500 g de nouilles hokkien
ou de nouilles aux œufs
2 c. s. d'huile d'arachide
700 g de gigot d'agneau émincé
1 oignon brun finement haché
2 carottes en tranches fines
1 gousse d'ail pilée
1 morceau de gingembre (2 cm) râpé
150 g de pois gourmands
coupés en deux
125 ml de sauce aux prunes
1 c. s. de sauce de soja
60 ml de bouillon de volaille
1 c. c. d'huile de sésame
2 c. s. de graines de sésame grillées

1 Préparez les nouilles : si elles sont fraîches plongez-les 1 minute dans de l'eau bouillante, si elles sont sèches plongez-les 3 à 4 minutes dans l'eau bouillante. Rincez-les à l'eau froide puis égouttez-les.

2 Faites chauffer la moitié de l'huile d'arachide dans un wok, à feu vif, pour y faire revenir les morceaux d'agneau de toutes parts. Quand ils sont bien dorés, réservez-les au chaud entre deux assiettes.

3 Versez le reste d'huile d'arachide dans le wok. Quand elle est bien chaude, faites-y sauter à feu vif l'oignon puis les carottes, l'ail et le gingembre. Ajoutez ensuite les morceaux d'agneau, les nouilles et les pois gourmands ; laissez chauffer sans cesser de remuer.

4 Versez les deux sauces mélangées, le bouillon de volaille et l'huile de sésame. Laissez 2 minutes sur le feu puis répartissez la préparation dans des bols de service et parsemez de graines de sésame. Servez sans attendre.

Par portion lipides 26,6 g ; 603 kcal

Poulet masala au lait de coco

Pour 4 personnes

2 c. s. d'huile d'arachide
1 oignon brun finement haché
2 gousses d'ail pilées
1 c. s. de graines de coriandre
1 c. s. de cumin en poudre
1 c. c. de curcuma en poudre
1 c. c. de gingembre moulu
1 c. c. de garam masala
1 pincée de cardamome moulue
2 c. c. de piment en poudre
1 c. c. de poivre noir concassé
1,5 kg de blancs de poulet
coupés en morceaux
70 g de concentré de tomate
375 ml de bouillon de volaille
125 ml d'eau
1 c. s. de farine de maïs ou de Maïzena
180 ml de lait de coco
quelques feuilles de coriandre ciselées

1 Faites chauffer l'huile dans une grande cocotte pour y faire revenir l'oignon et l'ail. Quand l'oignon est tendre, ajoutez les graines de coriandre et laissez-les dorer 1 minute. Ajoutez ensuite le reste des épices et laissez-les cuire jusqu'à ce qu'ils embaument.

2 Mettez les morceaux de poulet dans la cocotte pour les faire dorer de toutes parts puis versez le concentré de tomate, le bouillon de volaille et l'eau. Portez à ébullition. Après les premiers bouillons, baissez le feu, couvrez et laissez frémir 20 minutes.

3 Dans un petit bol, délayez la farine de maïs dans un peu de lait de coco. Ajoutez le reste de lait quand le mélange est homogène, sans cesser de remuer, puis versez le tout dans la cocotte. Portez à nouveau à ébullition puis laissez frémir quelques minutes pour faire épaissir la sauce. Incorporez la coriandre juste avant de servir.

Par portion lipides 40,4 g ; 739 kcal

Pappardelle au bacon et aux pignons de pin

Pour 4 personnes

4 tranches de bacon en fines lanières
40 g de pignons de pin
2 gousses d'ail pilées
500 g de pappardelle
ou de tagliatelles larges
200 g de pousses d'épinards
ou de roquette
25 g de parmesan fraîchement râpé
60 ml d'huile d'olive
2 c. s. de jus de citron

1 Faites dorer le bacon dans une poêle antiadhésive, sans matière grasse. Quand il commence à brunir, ajoutez les pignons de pin et l'ail. Faites-les revenir à feu vif en remuant sans cesse.

2 Faites cuire les pâtes dans un grand volume d'eau bouillante salée puis égouttez-les en réservant 60 ml d'eau de cuisson. Remettez-les dans la casserole.

3 Ajoutez dans la casserole les épinards ou la roquette, le parmesan, le mélange au bacon, l'huile et le jus de citron. Mouillez avec l'eau de cuisson réservée et mélangez bien. Servez aussitôt.

Par portion lipides 25,1 g ; 680 kcal

Vermicelles de riz frits au porc et aux crevettes

Pour 4 personnes

300 g de tofu soyeux ferme
de l'huile végétale pour la friture
60 g de vermicelles de riz
6 c. c. d'huile d'arachide
2 œufs légèrement battus
1 c. s. d'eau
2 gousses d'ail pilées
2 petits piments rouges frais finement hachés
1 petit piment vert finement haché
2 c. s. de sucre de palme râpé ou de sucre roux
2 c. s. de nuoc-mâm
2 c. s. de sauce tomate
1 c. s. de vinaigre de riz
220 g de filet de porc émincé
12 petites crevettes décortiquées et coupées en deux
6 oignons verts émincés
quelques feuilles de coriandre ciselées

1 Faites égoutter le tofu puis détaillez-le en petits dés. Étalez-le sur du papier absorbant et laissez-le reposer 10 minutes.

2 Faites chauffer une grande quantité d'huile dans un wok pour y faire frire les vermicelles. Sortez-les dès qu'ils commencent à gonfler et égouttez-les sur du papier absorbant. Faites ensuite frire le tofu jusqu'à ce qu'il soit doré puis égouttez-le sur du papier absorbant. Jetez l'huile et nettoyez le wok.

3 Faites chauffer 2 cuillerées à café d'huile d'arachide dans le wok et faites-y cuire la moitié des œufs battus. Quand l'omelette est prise, retirez-la du wok et roulez-la pour la découper en lanières. Répétez l'opération avec 2 autres cuillerées d'huile et le reste des œufs battus.

4 Mélangez l'ail, les piments, le sucre, les sauces et le vinaigre dans un bol. Faites chauffer le reste d'huile d'arachide dans le wok pour y faire revenir le porc. Quand il est doré, versez la moitié du mélange aux piments et laissez chauffer 5 minutes en remuant. Ajoutez les crevettes et laissez cuire encore 1 minute. Ajoutez enfin le tofu et réchauffez-le à feu vif.

5 Retirez le wok du feu et versez le reste du mélange aux piments. Ajoutez la moitié des oignons verts et mélangez. Ajoutez enfin les vermicelles et remuez délicatement. Répartissez la préparation dans des bols, parsemez des oignons verts restants, de lanières d'omelette et de coriandre ciselée. Servez sans attendre.

Par portion lipides 25,8 g ; 423 kcal

Salade de poulet thaïe

Pour 4 personnes

350 g de haricots beurre éboutés et coupés en deux
1 c. c. de zeste de citron vert finement râpé
2 c. s. de jus de citron vert
1 c. s. de sucre de palme râpé ou de sucre roux
1 gousse d'ail pilée
1 c. s. d'huile d'arachide
quelques feuilles de menthe ciselées
2 c. c. de sauce au piment douce
1 c. s. de nuoc-mâm ou de sauce de poisson thaïe
480 g de poulet rôti sans les os et sans la peau
quelques feuilles de coriandre
250 g de tomates cerises
1 petit piment rouge haché finement

1 Faites cuire les haricots dans de l'eau bouillante salée jusqu'à ce qu'ils soient juste tendres. Rincez-les à l'eau froide et faites-les égoutter dans une passoire.

2 Mélangez dans un saladier le zeste et le jus de citron, le sucre, l'ail, l'huile, la menthe et les deux sauces. Remuez bien pour faire dissoudre le sucre puis ajoutez les haricots refroidis, le poulet détaillé en lanières, les trois quarts de la coriandre et les tomates. Mélangez délicatement.

3 Mettez la salade quelques minutes au réfrigérateur. Au moment de servir, parsemez le dessus du reste de coriandre et de piment haché.

PRATIQUE Cette salade peut être préparée avec des haricots verts. Pour une recette plus authentique, choisissez des haricots kilomètres, longs haricots verts d'origine asiatique.

Par portion lipides 15,5 g ; 315 kcal

Risotto express aux crevettes

Pour 4 personnes

600 g de grosses crevettes cuites
50 g de beurre
1 blanc de poireau émincé
2 gousses d'ail pilées
1 pincée de filaments de safran
400 g de riz arborio
500 ml d'eau bouillante
250 ml de vin blanc sec
375 ml de bouillon de légumes
160 g de petits pois surgelés
quelques tiges de ciboulette ciselées
60 ml de jus de citron

1 Décortiquez les crevettes en gardant les queues.

2 Mettez dans un récipient allant au micro-ondes 20 g de beurre, le blanc de poireau, l'ail et le safran. Couvrez et faites cuire 2 minutes sur fort. Ajoutez-le riz et faites cuire encore 1 minute sur fort.

3 Versez l'eau bouillante, le vin et le bouillon sur le riz. Couvrez et faites cuire 15 minutes, toujours sur fort, en interrompant à trois reprises la cuisson pour mélanger.

4 Ajoutez les petits pois et les crevettes. Laissez cuire encore 3 minutes à couvert. Retirez le risotto du micro-ondes pour ajouter la ciboulette, le jus de citron et le reste du beurre. Servez sans attendre.

Par portion lipides 12,2 g ; 615 kcal

Bœuf satay aux nouilles

Pour 4 personnes

600 g de nouilles aux œufs
2 c. c. d'huile de sésame
300 g de bœuf dans le rumsteck détaillé en fines lanières
1 morceau de gingembre (2 cm) râpé
1 oignon rouge finement haché
1 petit poivron rouge émincé
150 g de brocolis détaillés en petits bouquets
2 c. c. de jus de citron vert
60 ml de sauce satay (épiceries asiatiques)
1 c. s. de sauce hoisin (épiceries asiatiques)
80 ml de sauce de soja
1 c. s. de kecap manis (épiceries asiatiques)
150 g de pois gourmands
quelques feuilles de coriandre ciselées
35 g de cacahuètes grillées grossièrement concassées

1 Préparez les nouilles : si elles sont fraîches plongez-les 1 minute dans de l'eau bouillante, si elles sont sèches plongez-les 3 à 4 minutes dans l'eau bouillante. Rincez-les à l'eau froide puis égouttez-les.

2 Faites chauffer l'huile dans un wok pour y faire revenir à feu vif le bœuf et le gingembre haché ; procédez en plusieurs fois pour que la viande soit bien saisie. Réservez-les ensuite au chaud entre deux assiettes.

3 Faites revenir dans le même wok l'oignon, le poivron et les brocolis. Quand ils sont juste tendres, remettez le bœuf et le gingembre dans le wok puis versez le jus de citron et toutes les sauces préalablement mélangées. Remuez bien et portez à ébullition.

4 Ajoutez les nouilles et les pois gourmands. Laissez sur le feu jusqu'à ce que le mélange soit chaud. Répartissez dans des bols de service et décorez de coriandre et de cacahuètes.

Par portion lipides 15,6 g ; 430 kcal

Curry de légumes

Pour 4 personnes

1 c. s. d'huile végétale
1 oignon brun finement haché
2 gousses d'ail pilées
4 mini-aubergines coupées en cubes
75 g de pâte de curry
600 g de courge butternut
ou de potiron coupé en cubes
500 g de chou-fleur
coupé en petits bouquets
375 ml de bouillon de légumes
425 g de tomates concassées en boîte
400 g de pois chiches en boîte rincés
et égouttés
280 g de yaourt à la grecque
quelques feuilles de menthe ciselées

1 Faites chauffer l'huile dans une sauteuse pour y faire revenir l'oignon, l'ail et les aubergines. Quand les légumes sont juste tendres, ajoutez la pâte de curry et remuez sur le feu jusqu'à ce que le mélange embaume.

2 Ajoutez alors la courge, le chou-fleur, le bouillon et les tomates concassées avec leur jus. Portez à ébullition puis laissez frémir 20 minutes. Incorporez les pois chiches, couvrez et laissez cuire encore 10 minutes.

3 Mélangez le yaourt et la menthe dans un bol. Servez le curry de légumes dans des assiettes creuses, nappé d'une pleine cuillerée à soupe de yaourt à la menthe.

PRATIQUE Servez ce curry de légumes avec du riz jasmin. Il peut aussi accompagner un poison au four ou des brochettes de viande.

Par portion lipides 15 g ; 332 kcal

Soupe de poulet thaïe

Pour 4 personnes

2 c. c. d'huile d'arachide
1 c. s. de blanc de citronnelle finement haché
1 morceau de gingembre (2 cm) râpé
1 gousse d'ail pilée
3 piments verts finement hachés
4 feuilles de citronnier kaffir ciselées
1 pincée de curcuma en poudre
800 ml de lait de coco allégé
750 ml de bouillon de volaille
500 ml d'eau
1 c. s. de nuoc-mâm ou de sauce de poisson thaïe
480 g de poulet rôti sans les os et sans la peau
3 oignons verts émincés
60 ml de jus de citron vert
quelques feuilles de coriandre ciselées
25 g de germes de soja
quelques feuilles de menthe ciselées

1 Faites chauffer l'huile dans une cocotte pour y faire revenir 2 minutes à feu moyen la citronnelle, le gingembre, l'ail, les piments, les feuilles de kaffir et le curcuma.

2 Quand le mélange embaume, versez progressivement le lait de coco en délayant bien avec une cuillère en bois puis ajoutez en une fois le bouillon, l'eau et le nuoc-mâm. Portez à ébullition. Ajoutez le poulet émincé en fines lanières, baissez le feu et laissez frémir 10 minutes.

3 Au moment de servir, ajoutez les oignons verts, le jus de citron et la coriandre. Répartissez la soupe dans des bols et parsemez le dessus de germes de soja et de menthe ciselée.

Par portion lipides 25,1 g ; 394 kcal

Bœuf bourguignon et polenta

Pour 4 personnes

1 c. s. d'huile d'olive
1,5 kg de bœuf à braiser coupé en morceaux
2 gousses d'ail pilées
3 piments rouges frais épépinés et hachés finement
2 c. c. de moutarde forte
1 oignon brun finement haché
2 tomates bien mûres coupées grossièrement
400 g de coulis de tomate
180 ml de vin rouge
125 ml de bouillon de bœuf
1,125 litre d'eau
170 g de polenta
20 g de parmesan fraîchement râpé
2 c. s. de persil plat ciselé

1 Faites chauffer l'huile dans une cocotte et faites-y revenir en plusieurs fois les morceaux de bœuf pour les faire dorer de toutes parts. Réservez-les dans un plat pendant que vous faites chauffer dans la cocotte l'ail, les piments, la moutarde et l'oignon. Dès que l'oignon commence à devenir transparent, remettez les morceaux de bœuf dans la cocotte avec les tomates fraîches. Laissez cuire 2 minutes.

2 Versez le coulis de tomate, le vin, le bouillon et 125 ml d'eau sur la viande (elle doit être à peine couverte) puis portez à ébullition. Baissez le feu, couvrez et laissez mijoter 1 h 30 (vous pouvez également faire cuire le bourguignon 2 heures au four à 120 °C). Remuez de temps en temps pour que la viande n'attache pas.

3 Portez le litre d'eau restant à ébullition dans une casserole, salez à votre convenance puis versez la polenta dedans en remuant sans cesse. Laissez épaissir 10 minutes sans cesser de remuer : la polenta doit se détacher des bords de la casserole. Incorporez alors le parmesan.

4 Au moment de servir, parsemez le bœuf bourguignon de persil ciselé. Servez sans attendre avec la polenta.

Par portion lipides 18,2 g ; 701 kcal

Nouilles de riz au bœuf et aux légumes

Pour 4 personnes

500 g de nouilles de riz fraîches
2 c. s. d'huile d'arachide
500 g de bœuf dans le rumsteck
coupé en fines lamelles
1 gousse d'ail pilée
1 morceau de gingembre (4 cm) râpé
1 c. s. de blanc de citronnelle
haché finement
1 petit piment rouge épépiné et émincé
quelques feuilles de menthe ciselées
1 carotte coupée en bâtonnets
200 g de mini-épis de maïs
coupés en deux
200 g de brocolis chinois
coupés en morceaux
1 c. s. de sucre roux
2 c. s. de farine de maïs ou de Maïzena
60 ml de vin de riz
60 ml de sauce d'huîtres
2 c. s. de sauce de soja claire

1 Rincez les nouilles à l'eau très chaude puis égouttez-les. Mettez-les dans un récipient et séparez-les à la fourchette. Laissez reposer.

2 Faites chauffer la moitié de l'huile dans un wok pour y faire revenir en plusieurs fois le bœuf. Travaillez à feu vif en remuant sans cesse pour qu'il soit bien doré. Gardez-le ensuite au chaud entre deux assiettes.

3 Versez le reste d'huile dans le wok bien chaud pour y faire sauter l'ail, le gingembre, la citronnelle, le piment et la menthe. Quand le mélange embaume, ajoutez la carotte et le maïs. Laissez cuire quelques minutes à feu vif en remuant toujours.

4 Remettez le bœuf dans le wok. Ajoutez les brocolis puis versez en pluie le sucre et la farine. Versez ensuite le vin et les sauces. Continuez la cuisson à feu vif sans cesser de remuer pour faire épaissir le liquide. Ajoutez les nouilles au dernier moment pour les réchauffer.

PRATIQUE Les nouilles de riz fraîches ne nécessitent pas de cuisson. Il faut simplement les rincer à l'eau chaude (pour les séparer sans les casser) puis les réchauffer rapidement avant de servir. Vous pouvez les remplacer par des nouilles sèches ; respectez alors les instructions figurant sur l'emballage.

Par portion lipides 16,5 g ; 481 kcal

Curry d'agneau aux épinards

Pour 4 personnes

2 c. s. d'huile végétale
750 g d'agneau coupé en fines lamelles
2 oignons bruns finement hachés
3 gousses d'ail pilées
1 morceau de gingembre (2 cm) râpé
1 c. c. de piment en poudre
1 bâton de cannelle
5 clous de girofle
5 gousses de cardamome
2 c. c. de coriandre moulue
2 c. c. de cumin en poudre
1 pincée de curcuma en poudre
2 c. c. de graines de moutarde noires
2 c. s. de concentré de tomate
120 g de crème aigre
600 g d'épinards surgelés, décongelées et soigneusement égouttés

1 Faites chauffer la moitié de l'huile dans une sauteuse pour y faire revenir l'agneau à feu vif. Quand il est doré sur toutes les faces, gardez-le au chaud entre deux assiettes.

2 Versez le reste d'huile dans la sauteuse et faites-y dorer l'oignon, l'ail et le gingembre. Ajoutez les épices et le concentré de tomate. Laissez chauffer à feu vif en remuant sans cesse jusqu'à ce que le mélange embaume.

3 Remettez l'agneau dans la sauteuse avant d'ajouter le reste des ingrédients. Portez à ébullition puis baissez le feu, couvrez et laissez mijoter 15 minutes. Le curry est prêt quand la viande est tendre et la sauce épaisse. Servez-le avec du riz jasmin.

PRATIQUE Égouttez à fond les épinards en les pressant fortement dans vos mains.

Par portion lipides 32,6 g ; 578 kcal

Bœuf sauté au gingembre

Pour 4 personnes

30 g de gingembre frais
2 c. s. d'huile d'arachide
600 g de bœuf dans le rumsteck découpé en fines lamelles
2 gousses d'ail pilées
120 g de haricots verts coupés en tronçons
8 oignons verts émincés
2 c. c. de sucre de palme râpé ou de sucre roux
2 c. c. de sauce d'huîtres
1 c. s. de nuoc-mâm
1 c. s. de sauce de soja
quelques feuilles de basilic

1 Grattez le morceau de gingembre pour enlever la peau puis coupez-le en fines lamelles.

2 Faites chauffer la moitié de l'huile dans un wok pour y faire dorer les lamelles de viande ; procédez en plusieurs fois à feu vif puis gardez le bœuf au chaud entre deux assiettes.

3 Faites chauffer le reste d'huile dans le wok et faites-y revenir le gingembre et l'ail. Quand le mélange embaume, ajoutez les haricots et laissez-les cuire jusqu'à ce qu'ils soient juste tendres ; remuez régulièrement.

4 Remettez le bœuf dans le wok avant d'ajouter les oignons verts, le sucre et les sauces. Faites sauter le mélange à feu vif jusqu'à ce que le bœuf soit cuit à votre convenance. Retirez le wok du feu pour incorporer le basilic. Remuez et servez sans attendre.

Par portion lipides 19,8 g ; 367 kcal

Pâtes au potiron et à la sauge

Pour 4 personnes

50 g de beurre
60 ml d'huile d'olive
1 kg de potiron détaillé en petits cubes
2 gousses d'ail émincées
1 c. c. de feuilles de thym frais
500 g de lasagnes fraîches
2 c. c. de feuilles de sauge ciselées
40 g de parmesan fraîchement râpé

1 Faites chauffer le beurre et l'huile dans une grande sauteuse et faites-y revenir les morceaux de potiron. Quand ils sont juste tendres, ajoutez l'ail et le thym. Laissez mijoter à feu doux pendant que vous faites cuire les pâtes.

2 Découpez les lasagnes en rubans. Faites-les cuire dans un grand volume d'eau bouillante salée puis égouttez-les en réservant 2 cuillerées à soupe de liquide de cuisson.

3 Ajoutez la sauge et le parmesan sur le potiron, remuez puis incorporez les pâtes. Mouillez avec le liquide de cuisson réservé et laissez sur le feu 1 minute pour que la préparation soit bien chaude. Servez sans attendre.

Par portion lipides 29,7 g ; 758 kcal

Soupe vietnamienne au bœuf

Pour 6 personnes

3 litres d'eau
1 kg de bœuf dégraissé
1 étoile de badiane
45 g de galanga ou de gingembre frais
60 ml de sauce de soja
250 g de nouilles de soja
100 g de germes de soja frais
quelques feuilles de coriandre
quelques feuilles de menthe
4 oignons verts émincés
1 piment rouge long en tranches fines
80 ml de jus de citron vert

1 Mettez dans une cocotte l'eau, le morceau de bœuf, la badiane, le galanga et la sauce de soja. Portez à ébullition puis laissez frémir 30 minutes à couvert, à feu moyen. Retirez le couvercle et laissez cuire encore 30 minutes : le bœuf doit être très tendre.

2 Pendant la cuisson du bœuf, mettez les nouilles dans un saladier, couvrez-les d'eau bouillante et laissez-les reposer quelques minutes. Quand elles sont bien souples, égouttez-les et rincez-les à l'eau froide. Égouttez-les à nouveau.

3 Mélangez dans un récipient les germes de soja, la coriandre, la menthe, les oignons, le piment et le jus de citron.

4 Retirez le morceau de bœuf de la cocotte et laissez-le égoutter quelques minutes avant de le découper en très fines tranches. Passez le liquide de cuisson dans un tamis fin puis remettez-le dans la cocotte. Ajoutez les tranches de bœuf et faites chauffer à nouveau le mélange jusqu'au point d'ébullition.

5 Répartissez les nouilles dans des bols chinois, ajoutez quelques tranches de bœuf puis du bouillon chaud. Garnissez avec le mélange aux germes de soja. Servez sans attendre.

Par portion lipides 7,6 g ; 323 kcal

Fettuccine au pesto de roquette

Pour 4 personnes

500 g de fettuccine fraîches
8 gousses d'ail coupées en quatre
quelques feuilles de basilic
120 g de roquette
160 ml d'huile d'olive
40 g de parmesan fraîchement râpé
3 tomates olivettes bien mûres
coupées en petits dés
2 c. s. de jus de citron
2 petits piments rouges émincés
50 g de pignons de pin grillés

1 Faites cuire les pâtes dans un grand volume d'eau bouillante salée puis égouttez-les. Remettez-les dans la casserole pour les garder chaudes.

2 Pendant la cuisson des pâtes, mixez très finement l'ail, le basilic, la roquette et l'huile.

3 Mélangez dans un grand plat de service chaud les pâtes, le pesto de roquette, le parmesan, les tomates en dés, le jus de citron et les piments. Remuez. Parsemez de pignons de pin et servez sans attendre.

PRATIQUE Remplacez les tomates fraîches par des tomates séchées marinées dans l'huile : le mélange sera délicieux.

Par portion lipides 50,3 g ; 904 kcal

Riz biryani au bœuf

Pour 4 personnes

750 g de bœuf à braiser coupé en dés de 2 cm
225 g de pâte de curry
400 g de riz basmati
8 gousses d'ail avec la peau
20 g de ghee (beurre clarifié) ou 2 c. s. d'huile d'arachide
4 gousses de cardamome
4 clous de girofle
1 bâton de cannelle
3 oignons verts émincés
500 ml de bouillon de bœuf
100 g d'amandes effilées légèrement grillées
quelques feuilles de coriandre
2 petits piments rouges frais émincés

1 Mélangez dans un grand plat le bœuf et la pâte de curry. Couvrez et laissez 1 heure au réfrigérateur.

2 Faites tremper le riz 30 minutes dans de l'eau froide puis égouttez-le bien et rincez-le abondamment. Faites rôtir les gousses d'ail 20 minutes au four.

3 Faites chauffer le ghee dans une grande sauteuse pour y faire revenir à feu vif la cardamome, les clous de girofle, la cannelle et les oignons ; remuez sans cesse pour que les épices n'attachent pas. Quand le mélange embaume, ajoutez le bœuf et toute la pâte de curry. Baissez le feu, couvrez et laissez mijoter 45 minutes.

4 Ajoutez le riz, remuez puis versez le bouillon. Couvrez et laissez cuire encore 15 minutes, en mélangeant de temps en temps.

5 Pelez les gousses d'ail et broyez-les finement. Retirez la casserole du feu avant d'y ajouter l'ail, les amandes, la coriandre et les piments. Couvrez et laissez reposer 5 minutes. Servez sans attendre.

Par portion lipides 41,9 g ; 959 kcal

Riz sauté au poulet et au basilic

Pour 4 personnes

60 ml d'huile d'arachide
1 oignon brun finement haché
3 gousses d'ail pilées
2 piments verts épépinés et émincés
1 c. s. de sucre roux
500 g de blancs de poulet coupés en morceaux
2 poivrons rouges émincés
200 g de haricots verts coupés en tronçons
800 g de riz jasmin cuit
2 c. s. de nuoc-mâm
2 c. s. de sauce de soja
quelques feuilles de basilic

1 Faites chauffer l'huile dans un wok pour y faire sauter à feu vif l'oignon, l'ail et les piments. Quand l'oignon est tendre, ajoutez le sucre ; attendez qu'il soit complètement dissous pour faire revenir le poulet, les poivrons et les haricots. Remuez régulièrement pour une cuisson homogène.

2 Quand le poulet est juste cuit, ajoutez le riz, le nuoc-mâm et la sauce de soja. Laissez cuire encore quelques minutes à feu vif pour que le riz soit bien chaud. Retirez le wok du feu pour incorporer le basilic. Servez sans attendre.

Par portion lipides 21,7 g ; 459 kcal

Glossaire

amandes fruit de l'amandier. La graine blanche et tendre est recouverte d'une pellicule brune et enfermée dans une coque brune grêlée. Les amandes effilées sont des amandes coupées en fines lamelles dans la longueur. On peut les faire griller à sec (sans matière grasse dans une poêle antiadhésive) ou au four.

aubergine fruit d'une plante originaire de l'Inde et cultivée dans le bassin méditerranéen depuis le XVIIe siècle. L'aubergine se cuit à l'étuvée ou se cuisine en gratin ou sautée. On la fera le plus souvent dégorger 30 minutes au sel pour qu'elle rende son eau de végétation.

babeurre le babeurre ou lait battu est le lait dont on a enlevé le beurre par barattage. On le trouve au rayon frais des grandes surfaces.

bacon poitrine de porc maigre fumée.

badiane (anis étoilé)
fruit en forme d'étoile d'un arbre de la famille des magnoliacées originaire de Chine. Son goût prononcé d'anis relève de nombreuses recettes asiatiques. On le trouve entier ou moulu. Peut également être utilisé en infusion.

basilic plante aromatique originaire de l'Inde et qui s'est répandue dans toute la cuisine méditerranéenne. Le basilic thaï a un goût plus poivré que le basilic commun (en vente dans les épiceries asiatiques).

cannelle écorce d'un arbre originaire de Chine ou de Ceylan. Cette écorce se présente en feuilles minces roulées sur elles-mêmes (bâtons de cannelle). Saveur très fine et sucrée, très aromatique. On trouve aussi de la cannelle moulue mais on lui préférera la cannelle en bâton pour aromatiser compotes et entremets.

câpre bouton floral vert-de-gris d'un arbuste de climat chaud (généralement méditerranéen). On trouve des câpres séchées et salées ou conservées dans la saumure. Les plus petites, qui ont été cueillies plus tôt, sont plus savoureuses et plus chères que les grosses. Il est conseillé de bien les rincer avant de les consommer.

cardamome épice originaire de l'Inde et très présente dans la cuisine orientale. On la trouve en gousses, en graines ou moulue.

citronnelle herbe longue au goût et à l'odeur de citron. On hache l'extrémité blanche des tiges.

clou de girofle bouton floral non épanoui du giroflier, séché et parfois fumé. D'une saveur aromatique chaude et piquante, le clou de girofle est utilisé pour parfumer les pâtisseries.

coco
crème première pression de la pulpe mûre des noix. Disponible en boîte ou en berlingot.
lait il ne s'agit pas du jus contenu dans la noix mais du liquide obtenu par la deuxième pression de la pulpe. Disponible en boîte ou en berlingot.

coriandre aussi appelée persil arabe ou chinois, cette herbe vert vif a une saveur très relevée. On utilise aussi les racines et les graines qui ont des goûts très différents.

crème aigre si vous ne parvenez pas à vous en procurer, mélangez de la crème fraîche avec un peu de jus de citron.

curcuma racine de la famille du gingembre, séchée puis réduite en poudre d'une teinte jaune intense, très utilisée dans la cuisine asiatique. Elle possède une saveur épicée mais ne pique pas.

feta fromage de brebis ou de chèvre d'origine grecque, friable et au goût fort et salé.

galanga rhizome à chair blanche à doré qui vire au rouge profond en mûrissant. Sa saveur est poivrée et puissante.
On le trouve dans les épiceries asiatiques. On l'utilise en morceaux pour aromatiser mais on ne le consomme pas (le retirer du plat au moment de servir). On trouve également du galanga mariné ou en poudre.

garam massala mélange indien d'épices grillées et moulues. Les saveurs et l'intensité varient selon les recettes.

gingembre racine épaisse et noueuse d'une plante tropicale. Très utilisé dans la cuisine thaïe, il parfume soupes et currys. Les morceaux de gingembre doivent être bien fermes, avec une peau lisse. On trouve également du gingembre mariné ou séché.

huile
olive les plus parfumées sont les huiles vierges ou vierges extra. Elles proviennent du premier pressage à froid.
arachide à base de cacahuètes moulues. La plus utilisée dans la cuisine asiatique car elle supporte de très hautes températures sans brûler.

huîtres (sauce d')
d'origine asiatique, cette sauce brune est composée d'huîtres en saumure, de sel, de sauce de soja et d'amidon.

kaffir (citronnier)
ce fruit de la famille du citron est également appelé combava. Ses feuilles sont très utilisées dans la cuisine thaïe (en ventes dans les épiceries asiatiques). Elles sont meilleures quand elles sont fraîches et peuvent se congeler en petites quantités. Le fruit est plus difficile à trouver et cher. Il a une peau sombre et ridée. Son zeste est parfumé mais il faut absolument éviter la partie blanche car elle est très amère.

kecap manis
sauce de soja épaisse d'origine indonésienne. Comparée aux sauces chinoises, elle a un goût sucré et doux.

menthe vietnamienne
herbe aromatique à la saveur âcre, aussi appelée laksa ou menthe cambodgienne. Elle est utilisée dans de nombreuses soupes et salades asiatiques.

moutarde ce condiment est obtenu à partir de graines de moutarde. Il est plus ou moins fort selon les recettes. La moutarde à l'ancienne, assez douce, présente des graines entières tandis qu'elles sont broyées dans la moutarde forte.

nouilles de riz à base de farine de riz et d'eau. Il en existe de différentes largeurs, rondes ou plates. On doit les plonger dans l'eau bouillante pour les ramollir.

nuoc-mâm aussi appelé nam pla. Sauce à base de poisson fermenté réduit en poudre (généralement des anchois). Très odorante, elle a un goût prononcé. À utiliser avec parcimonie.

paprika piment doux séché et moulu. Existe en version douce ou forte.

parmesan fromage italien sec et friable, au goût très marqué. Fabriqué à partir de lait partiellement ou totalement écrémé puis affiné pendant un minimum de 12 mois.

pignons de pin petites graines beiges provenant de la pomme de pin.

piments généralement, plus un piment est petit, plus il est fort. Mettez des gants en caoutchouc quand vous les coupez et les épépinez, car ils peuvent brûler la peau.

pois chiches aussi appelés, garbanzos, channa ou houmous, ces pois de couleur sable sont très utilisés dans la cuisine méditerranéenne.

pois gourmands ou pois mange-tout. Plus petits et plus tendres que les haricots mange-tout, ils se cuisent très rapidement (2 minutes), de préférence à l'eau ou à la vapeur. Saveur très délicate. Se consomme au printemps.

riz
arborio riz à petits grains ronds, à forte capacité d'absorption de liquide.
basmati riz blanc à longs grains très parfumé. Le rincer plusieurs fois avant de l'utiliser.
au jasmin riz aromatique à longs grains, qui peut remplacer le riz blanc.

safran sous forme de stigmates ou moulu, il donne une belle teinte jaune aux aliments. Cette épice très parfumée est parmi les plus coûteuses.

satay (sauce) originaire d'Indonésie ou de Malaisie, la sauce satay est un condiment épicé à base de cacahuètes.

sésame le sésame est une plante touffue dont les fleurs donnent naissance à des capsules abritant des graines ovales, petites et plates, allant du blanc cassé au gris foncé. Elles sont très riches en acides gras saturés et en vitamines. Utilisées nature ou grillées, elles parfument de nombreuses recettes.

sucre de palme il est confectionné à partir de la sève de certains palmiers. De brun clair à brun très foncé, il se présente sous la forme de blocs durs, à râper. Il peut être remplacé par de la cassonade.

tofu pâte de soja épaisse, d'un blanc légèrement cassé, qui se présente sous la forme de blocs compacts plus ou moins fermes. Le tofu velouté (ou soyeux) est très tendre et délicat de goût.

vinaigre balsamique
produit exclusivement dans la province de Modène, en Italie, ce vinaigre est élaboré à partir d'un vin régional de cépage trebbiano. Il doit son parfum unique, à la fois doux et mordant, à un traitement spécial et à son vieillissement en fûts de chêne.

Traduction et adaptation: Farrago
Mise en pages : Penez Édition

Marabout
43, quai de Grenelle - 75905 Paris Cedex 15

Publié pour la première fois en Australie en 2004
par ACP Publishing Pty Limited
sous le titre *Bowl Food*

Dépôt légal n° 55687 / mars 2005
ISBN : 2501-04448-7
NUART : 4094017/01

Imprimé en Espagne par Mateu Cromo